Cornebidouille
contre
Cornebidouille

« À mes chers parents. »

Pierre Bertrand

ISBN 978-2-211-22171-9
Première édition dans la collection *lutin poche* : avril 2015
© 2013, l'école des loisirs, Paris
Loi numéro 49 956 du 16 juillet 1949 sur les publications
destinées à la jeunesse : novembre 2013
Dépôt légal : juillet 2022
Imprimé en France par Clerc SAS à Saint-Amand-Montrond

Une histoire de Pierre Bertrand
illustrée par Magali Bonniol

Cornebidouille contre Cornebidouille

les lutins de l'école des loisirs
11, rue de Sèvres, Paris 6e

C’était un soir comme tant d’autres dans la maison de Pierre.
Toute la famille était réunie dans la cuisine, et sur la table
trônait un énorme potiron. Quand tout à coup,
la maman de Pierre s’arma d’un grand couteau…

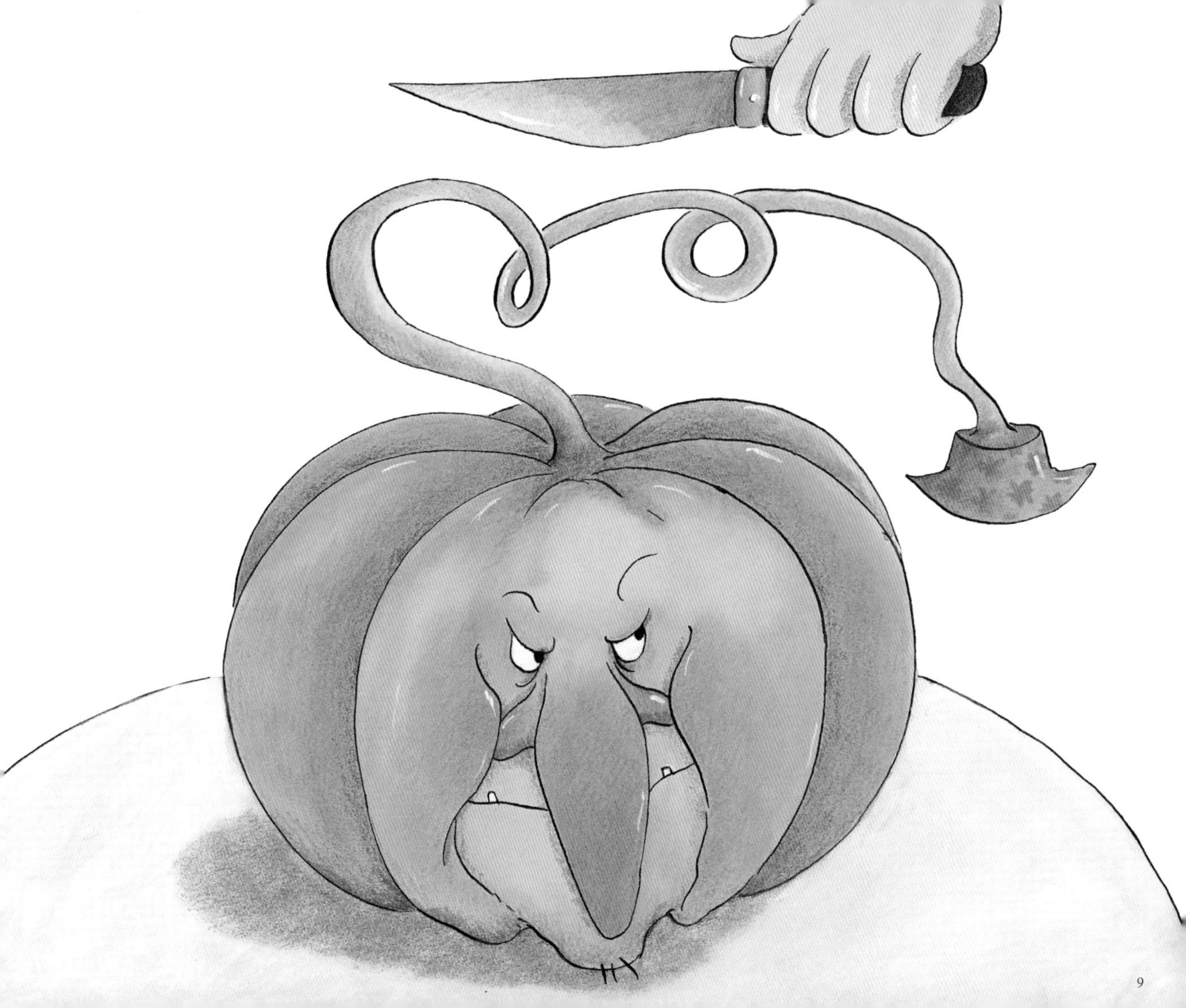

« Noooooooon, maman ! Non ! Ne touche pas à ce potiron ! » supplia Pierre. « C'est la sorcière Cornebidouille ! »
« Quelle histoire amusante, mon chéri, et quelle imagination ! Tu devrais en faire autant pour tes rédactions ! »

Et TCHAK ! Elle coupa le potiron en deux !
Aussitôt, une odeur épouvantable se répandit dans la pièce.

« Ça sent les toilettes bouchées ! » s'étonna le grand-père.
« … Les chaussettes mal lavées ! » poursuivit la grand-mère.
« … Le caca de sanglier ! » rajouta Pierre en se tortillant sur sa chaise.
« Et puis quoi encore ! » gronda le papa de Pierre. « Un dîner aux gros mots, une agitation d'asticot et, une fois de plus, une soupe sur le carreau. Allez zou, file dans ta chambre, mon garçon ! »

« Marre de zut de crotte de bique ! » grommela Pierre en allant dans sa chambre. « Les parents, c'est toujours pareil, ça ne comprend rien du tout ! Même pas cap de voir une sorcière dans un potiron ! » Et il s'endormit très fâché.

C'est alors que vers minuit… une rumeur étrange s'éleva dans la cuisine : *« Potironnus… Transforma… Cornebidouilla Bis ! »*

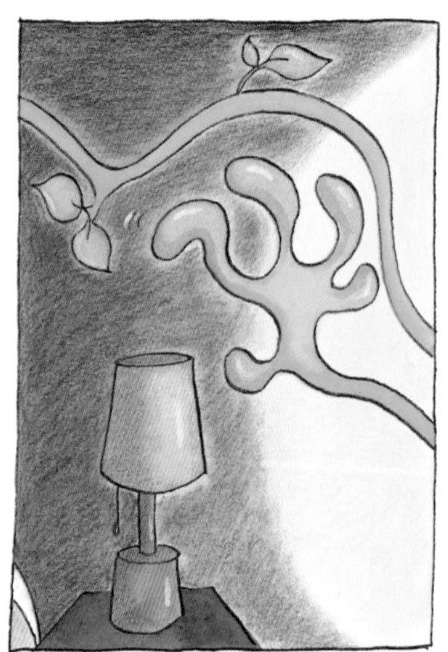

De longues tiges se faufilèrent alors par la porte,
rampèrent dans le couloir comme des serpents
jusqu'à la chambre de Pierre, qui dormait profondément.

Puis elles s'enroulèrent autour de lui
et le tirèrent doucement vers la cuisine.
Pierre crut que sa maman voulait le réveiller.
« Non, maman, pas encore l'école !
Laisse-moi dormir, s'il te plaît ! »

Mais, arrivé dans la cuisine…
« Gouzi, gouzi, gouzi ! Regarde qui est là, mon petit chéri ? »
« Aaaaah !!! » s'écria Pierre en sursautant. « Vous…
Vous êtes deux maintenant ? »
« Eh oui, zizi de ouistiti ! Tu ne connais donc pas le proverbe ?
Si en deux potiron découpé, sorcière sera dédoublée ! »
« Euh… non ! » répondit Pierre en serrant son doudou contre lui.
« Et tu vas voir, espèce de prout de dromadaire, de quoi sont capables deux sorcières quand elles sont en colère ! »
« Puisque, décidément, tu n'aimes pas la soupe, ce sera toi… la soupe ! »
« Et nous te dégusterons de la tête jusqu'au croupion ! »

Et tout en s'activant dans la cuisine,
elles se mirent à chanter d'un même chœur :
« D'abord te ligoter comme un petit filet !
Et remplir tes oreilles de deux bouquets d'oseille.
Badigeonner ton dos de sauce à l'asticot
Et du caca de poux pour renforcer le goût.
Un zeste de sauterelle en guise de grain de sel
Et des crottes de nez pour bien te parfumer.
Te faire cuire à feu doux en mélangeant le tout
Et te servir très chaud avec quelques crapauds. »

« Nan… j'veux pas ! » s'écria Pierre, dégoûté.
« Ça suffit, tête de merlan frit ! » rouspéta l'une.
« Tu crois peut-être qu'on va te laisser le choix,
espèce de crème d'anchois ? » renchérit l'autre.
« Tu n'es qu'un vomi de coccinelle ! »
« Un crachat de sauterelle ! »
« Une face de vermicelle ! »
« Bravo, bravo », applaudit Pierre.
« Vous êtes vraiment superfortes en gros mots !
Mais la vraie Cornebidouille était bien meilleure ! »

« La vraie Cornebidouille ? » s'exclama l'une.
« Mais c'est moi évidemment ! »
« Tu plaisantes ? » répondit l'autre.
« Tu n'es qu'une boudinée de la brioche ! »
« Et toi, une fofolle de la cloche ! »

« Pas mal, pas mal… » dit Pierre en bâillant.
« Mais, décidément, Cornebidouille aurait fait mieux ! »
« C'est ce qu'on va voir, tête d'entonnoir ! Je suis la vraie, la seule, l'unique Cornebidouille, et celle-là n'est qu'une vieille fripouille ! »
« Tu peux parler ! » répliqua l'autre. « Espèce de mémère à soupière ! »
« Et toi, tête de zèbre mal rayé ! »

« Grosse patate à chapeau ! »
« Gypaète déplumé ! »
« Fessue du popotin ! »
« Pue du bec de toilettes ! »

« Pelure de pomme pourrie ! »
« Superbe ! Encore, encore ! » applaudit Pierre en jubilant.

« Crotte de ver de terre ! »

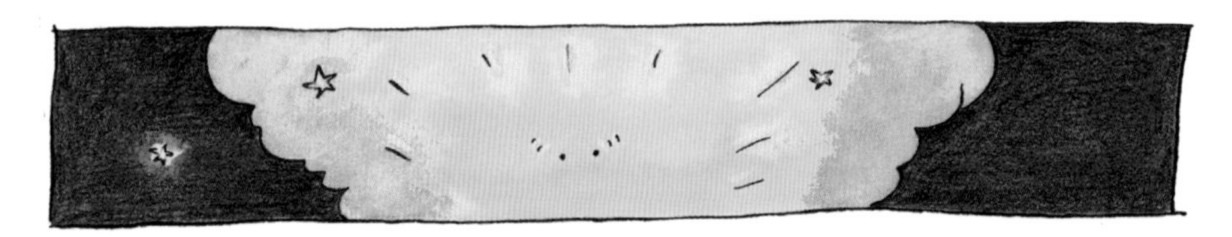

« Minuscule grain de poussière ! »

Et hop, aussitôt dit, aussitôt fait ! Les voilà transformées
en deux minuscules grains de poussière.
« Parfait, les filles », jubila Pierre. « Je vous déclare
ex æquo et bêtes comme des poireaux ! »

Pierre prit le balai et la pelle à poussière…

… et vida les Cornebidouille dans la poubelle.

Et le lendemain, à l'heure du petit déjeuner…
« C'est drôle », dit la maman de Pierre, « je crois que j'ai entendu un petit bruit dans la poubelle. »
« Sans doute notre potiron qui s'exaspère ! » fit le grand-père en souriant.
« Ou un bâillement de pomme de terre ! » poursuivit la grand-mère.
« Et pourquoi pas un combat de grains de poussière ? » s'exclama le papa de Pierre. « Qu'est-ce que tu en penses, mon chéri ? »
« Moi… ? J'sais pas ! » répondit Pierre, le nez dans son bol de chocolat.